神奇的科学系列丛书

了不起的声音

撰文　[美] 纳迪亚·希金斯
绘画　[美] 安德列斯·马丁内兹·里高
翻译　孙健

山东科学技术出版社

P9-BIS-592

图书在版编目（CIP）数据

了不起的声音／撰文 [美] 纳迪亚·希金斯；绘画 [美] 安德列斯·马丁内兹·里奇；翻译 孙健 . 一济南：山东科学技术出版社，2012

（神奇的科学系列丛书）

ISBN 978-7-5331-5850-7

I. ①了 … II. ①纳 … ②安 … ③孙 … III. ①常识课—学前教育—教学参考资料 IV. ①G613.3

中国版本图书馆 CIP 数据核字（2012）第 001130 号

Stupendous Sound

Published by Magic Wagon, a division of the ABDO Publishing Group, 8000 West 78th Street, Edina, Minnesota, 55439.Copyright © 2008 by Abdo Consulting Group, Inc. All rights reserved.

图字：15-2011-223

神奇的科学系列丛书

了不起的声音

撰文　[美] 纳迪亚·希金斯
绘画　[美] 安德列斯·马丁内兹·里奇
翻译　孙　健

出版者：山东科学技术出版社
　　　　地址：济南市玉函路 16 号
　　　　邮编：250002　电话：(0531)82098088
　　　　网址：www.lkj.com.cn
　　　　电子邮件：sdkj@sdcpress.com.cn

发行者：山东科学技术出版社
　　　　地址：济南市玉函路 16 号
　　　　邮编：250002　电话：(0531)82098071

印刷者：济南鲁艺彩印有限公司
　　　　地址：济南工业北路182－1号
　　　　邮编：250101　电话：(0531)88888282

开本：889mm×889mm 1/16
印张：2
版次：2012 年 3 月第 1 版第 1 次印刷

ISBN 978-7-5331-5850-7
定价：9.80 元

目录

周围的声音

先静一静，你能听到什么声音吗？

那么闭上眼睛来听吧。

4

你也许会为周围的声音感到惊奇哦！

声音是怎样产生的

是什么发出了这些声音呢？所有的声音都起源于物体的振动。

蜜蜂的翅膀振动得非常快，发出了"嗡嗡"的声音。

嗡嗡

你的噪音

说悄悄话，唱歌，喊叫！是什么让你的嗓子发出了声音？

在你的喉咙里有声带，当声带振动的时候，你就发出了声音。

声音是怎样传播的

向水池里扔进一块小石子，圆形的波纹从石子落下的位置向周围发散出去。

你是看不到声音的。声音用一种看不见的波通过空气传播。声音从一个振动源向周围发散出去，就像从石子落水处向周围传播的水波纹。

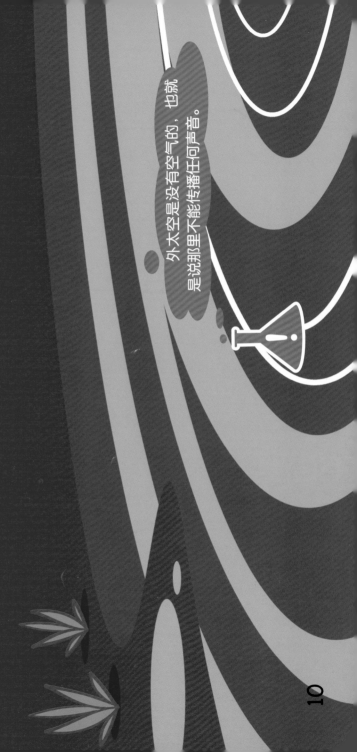

外太空是没有空气的，也就是说那里不能传播任何声音。

当有人往水里跳的时候，"扑通"一声，拍打水的声音传到了你的耳朵里。

传进耳朵里

砰、砰、砰！烟花在天空里炸开了花。巨大的声音从空中传了过来，进入你的耳朵，让你耳朵里的薄膜振动起来。这层薄膜就是鼓膜。

14

声音跑得很快。它只要三分之一秒就能从足球场的这头跑到另一头。

15

16

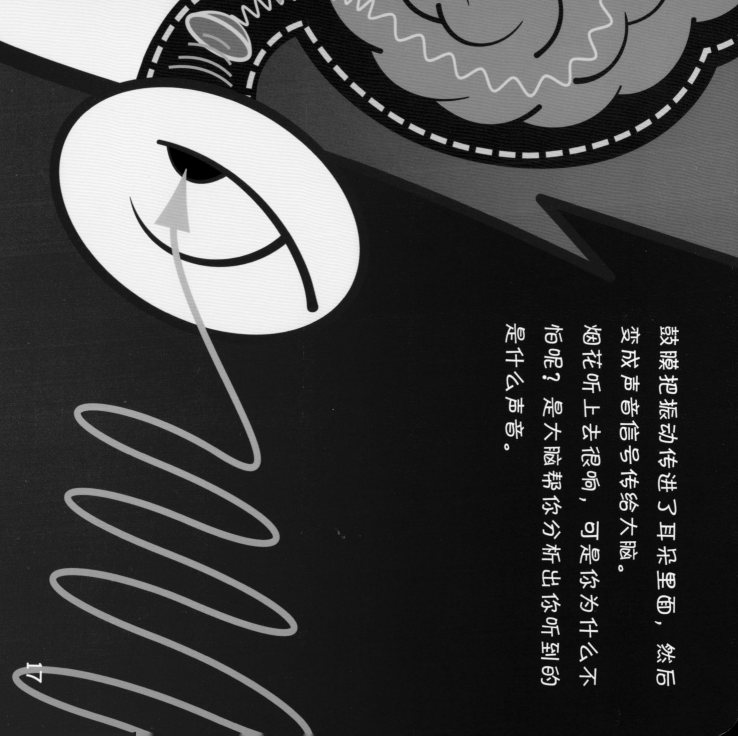

鼓膜把振动传进了耳朵里面，然后变成声音信号传给大脑。烟花听上去很响，可是您为什么不怕呢？是大脑帮您分析出您听到的是什么音。

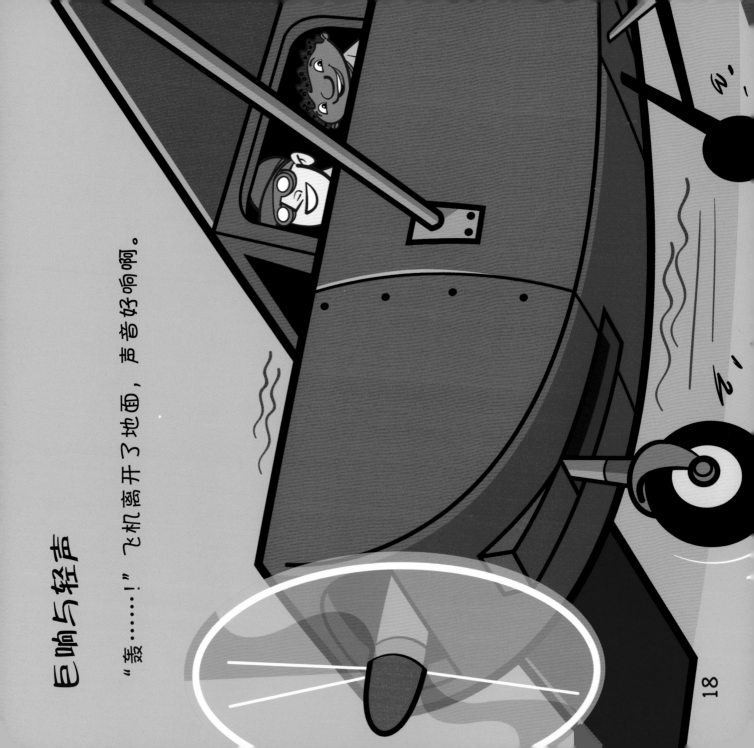

巨响与轻声

"轰……!"飞机离开了地面，声音好响啊。

巨响是由巨大的振动产生的。

在巨响的环境下工作的人们一般要戴耳塞来保护耳朵，长时间的巨响会损坏人的听力。

"嗡嗡，嗡嗡，嗡嗡！" 在安静的热天里，你会听到苍蝇在窗前嗡叫的声音。

声音是由很小的振动产生的。

21

高音与低音

拨动竖琴的琴弦，琴弦就会快速振动。它发出了一个高音，回荡在房间里。

高音是由快速的振动产生的。

低音吉他的声音是低沉的，它的琴弦振动很慢。
低音是由慢速的振动产生的。

回声

站在校园里，对着操场的围墙喊出你的名字！你是不是听到你的声音又传回来了？这就是回声。

26

发出的声音和回声之间会有一段间隔。也就是说，这段时间里声音碰到了某个物体又被反弹了回来。

回声的出现是因为声波可以反弹，您喊出的声音碰到学校墙壁后，又被弹回您自己的耳朵里。

27

美妙的音乐

噪音和音乐有什么区别呢?

噪音是令人讨厌的，而音乐是美妙的。那么你知道的最美妙的音乐是什么呢？

实践活动我来做

声音的运动

准备事项：

一张塑料包装膜。

一只大的空容器，例如空咖啡罐或者点心盒。

一根橡皮筋。

一勺白糖。

一个锅盖。

一把大勺子。

操作步骤：

1. 把塑料膜用橡皮筋在容器口绷紧。

2. 把白糖撒在塑料膜上。

3. 在离开容器大约十厘米的地方，用大勺子使劲拍打锅盖。

4. 看一下白糖有什么反应，是什么东西让白糖在塑料膜上跳了起来？那就是声音的振动！

知识趣闻早知道

在黑暗当中飞行的蝙蝠是看不见东西的，它们用声音来代替视觉去寻找猎物。当蝙蝠到处飞行时，它发出频率很高的声音，这个声音碰到昆虫后就像回声一样返回到蝙蝠耳朵里。蝙蝠就是凭借听到的回声，准确地判断出它的"晚餐"在哪里。

人的心跳声是我们能听到的频率最低的声音之一。

我们几乎总是通过空气听到声音。但是有时候声音还可以通过水之类的液体，钢之类的固体传播。

有些飞机的飞行速度比声音传播的速度还要快！

雷电会产生雷声。当雷电发生时，它加热了周围的空气，引起空气振动发出了雷声。

雷声和雷电几乎是同时发生的，可是为什么我们总是在看到雷电之后才听到雷声呢？这是因为光的速度比声音的速度要快许多。

新书推荐

马蒂教你控制坏脾气

最受美国父母喜爱的情商培养绘本

北美地区最畅销的儿童绘本故事书